KB177985

연극영화과 입시 합격! 강호쌤 연기 코멘트 273가지

연극영화과 입시 합격! 강호쌤 연기 코멘트 273가지

발   행 | 2024년 03월 19일
저   자 | 강호
펴낸이 | 한건희
펴낸곳 | 주식회사 부크크
출판사등록 | 2014.07.15.(제2014-16호)
주   소 | 서울특별시 금천구 가산디지털1로 119 SK
트윈타워 A동 305호
전   화 | 1670-8316
이메일 | info@bookk.co.kr

ISBN | 979-11-410-7704-4

www.bookk.co.kr
© 강호 2024

연극영화과 입시 합격!

강호쌤
연기 코멘트
273가지

강호 지음

1. 곱해요. 대사를 안 외워서일 거예요.
상대의 움직임과 상대도 말을 함께 한다고
생각하고 1인 2역을 해보세요.

2. 말하지 않고 눈으로 마주 보고 있는 시간을 느끼
고 말하기 전에 어떤 생각들이 있을까?

그 생각들이 어떤 표정으로 상대를 마주하고 어떻게
말을 시작할까? 고민해 보고 첫 대사를 표정을(미
소를) 먼저 짓고 말해보세요.

3. 1번 대사의 목적 2번 대사의 목적 3번 대사의
목적 이렇게 연기 디자인을 해보면 어떨까요?

4. 정말 안타깝고 정말 상대에게 잘해 주고 싶고
그런 감정들이 소리만으로도 느껴지려면 화술을 어
떻게 쓰면 좋을까요?

5. 기승전결을 구성하고 긍정에서 -> 부정으로 넘
어갈 때 어떤 상대의 자극들이 있을까요?

6. 나는 상대에게 어떤 여자로 보이길 원하나요? 몇 가지인가요? 키워드를 나열해서 연기에 대입해 보세요

7. 너무 정확하게만 말하려고 한지 보니 소리로 감정을 표현하기가 어려워요.

8. 캐릭터를 유지하려고 하다 보면 표현에 제한이 걸려요. 그렇게 말하지 않으면 그 캐릭터가 아닌 것 같다는 느낌이 들기 때문이죠.

9. 캐릭터는 음색 하나로 유지 시키고 말을 다양하게 더 확실히 표현하려고 해보는 데 좋을 것 같아요.

10. 불쌍할 땐 정말 불쌍하게 느려지고 감정연기는 정말 심각하게 슬픔에 몰입하고 확 돌변하는 게 좋을 것 같아요.

11. 자신의 과거 아픔을 호소할 때 너무 느려요. 빠르게 해소해 보세요 (카타르시스)

12. 뉘앙스가 일정하다는 느낌을 받으면 지루해져요. 과감하게 비트 변화(말투)해 보세요!

13. 첫 시작을 자상하게 어미를 따뜻하게 장음으로 말해보면 어떨까요?

14. 불행했다는 이야기들도 반대로 웃으며 감미롭게 이야기해 보면 어떨까요?

15. 엄마의 눈을 보고 함께 표정 호흡을 하며 과거 이야기에 집중하면 어떨까요?

16. 화술이 결론이 있는 것이 아니라 생각하는 말들로 활력적으로 해보면 어떨까요?

17. 더 착한 아들로 슬픔을 잘 참아온 아들로 설득력이 있게 말해보는 건 어떨까요?

18. 대사 말고 즉흥적으로 착한 아들로서 엄마와 대화를 많이 해보시면 좋을 것 같아요!

19. 몸과 손 팔에 발성 적 에너지를 표현해 보세요. 속도와 힘이 느껴져야 합니다.

20. 직선으로 꽂고 부드럽게 펼치고 방향 감각이 느껴지게 소리를 더 다양하게 내보세요.

21. 인물이 너무 웃기만 하네요.

22. 의미심장함, 어두움, 간절함, 신비함을 화술에 담기 위해 템포를 다양하게 활용해 보세요

23. 단어 강조가 너무 뻔해요.

24. 예측할 수 없도록 감정들을 다양하게 하면서 대사마다 하나의 상황으로 표현해 보며 연습해 보세요.

25. 표정과 몸짓을 더 오버액션 해보세요. 소리가 너 풍성해질 겁니다.

26. 기승전결 구성 하이라이트 고조 마지막 여운 2탄을 보고 싶게 역동적으로 말해보세요.

27. 상대는 가만히 듣기만 하고 있나요? 상대의 반응을 대사마다 넣어보세요!

28. 연기를 잘하는 게 중요한 게 아닙니다. 명장면을 만들 수 있는 연출력을 겸비해야 합격합니다.

29. 오우 많이 좋아졌네요. 일단 웃는 게 자연스러워졌고 여성적으로 대사를 다루려고 노력하는 모습이 좋습니다.

30. 아직 뉘앙스는 많이 바뀌었는데 음색 자체는 덜 바뀌었습니다. 기존에 고집하는 음색과 본인이 바꾸려고 하는 음색끼리 지금 힘겨루기를 하는 것 같네요.

31. 긍정적일 땐 바꾸려는 음색으로 부정적일 땐 고집하려는 낮은 음색으로 균형을 맞춰 사용해 보려고 노력해 보세요.

32. 과거 이야기나 제3자의 이야기를 할 때 천천히 그 순간에 푹 빠져 기억을 마치 지금 하나씩 떠올리는 대로 말하듯 시공간을 바꿔줄 수 있게 말해야 합니다.

33. 그럼 수줍을 수도 있고 설렐 수도 있고 그게 매혹적일 수도 있고 안타깝거나 벅차거나 답답하고 슬프거나 짜증이 날 수도 있습니다.

34. 이런 형태들을 가지고 기승전결 구성과 우리가 수업 시간에 했던 서사적 말하기 극적 말하기 서정적 말하기를 활용하여 동선 및 템포들을 디자인해 보세요

35. 자신의 연기를 처음부터 끝까지 보고 키워드 3개로 평가해 보세요. 매력적이라는 키워드가 반드시 나와야 합니다.

36. 더 불쌍하게 울어보세요. 그럼, 소리가 여리게 나올 겁니다

37. 빌드업 해나가는 건 상대방에게 전달하고자 하는 의욕(대사, 말)이 점점 강해져서입니다.
빌드업해야 합니다! 더 에너지가 커져야 합니다. 더욱 과감해져야 합니다. 왜 생각을 하러 대각선 동선을 쓸까요? 더 발성 적 에너지를 실어보세요. 첫 대사를 뱉었는데 상대가 못 알아듣나요? 그럼 답답

해야겠죠? 아님. 모른척하나요? 그럼 더 비아냥거려야겠죠? 몇 번의 테스트(전략)를 통해 상대를 검증할 건가요?

38. 조용히 말하기가 강조되려면 조용히 말하기 전에 큰소리로 내야 당연히 조용히 말하기가 매력적으로 들리겠죠?

39. 상대를 사랑했나요? 상대를 사랑하나요? 의욕이 없는 이유는 사랑하는 만큼입니다.

40. 상대가 가만히 미동 없이 서서 듣고만 있나요? 상대가 더 적극적으로 이야기를 거부하거나 가스라이팅 하려고 한다고 생각해 보세요.

41. 눈앞에 있는 상대를 더 주시하고 반응을 상상해 보고 온몸으로 말해보세요. 손이 부자연스러운 건 온몸이 말에 참여하지 않고 있다는 증거입니다.

42. 끝까지 상대에게 말하는 이유를 생각하며 열렬하게 화술(전술·tactic)을 변화하며 말해야 합니다.

43. 푸념 정도의 말은 위력이 없습니다. 차라리 상대와 싸우는 게 낫습니다. 긍정과 부정을 의미심장하게 사용해야 매력적입니다.

44. 비아냥을 칭찬으로 착각할 정도로 진심으로 싸울 땐 숨 못 쉬게 논리적이고 고통을 호소하며 감정적으로

45. 기승전결의 구성을 다이내믹하게 만들어 보세요

46. 연기에서 제스처(손)를 하지 않는 건 할 수 없는 게 많아서가 아니라 할 수 있는 게 너무 많기 때문입니다.

47. 어색해도 제스처를 해보려고 노력하세요.

48. 왜 그 단어를 그렇게 장음이나 강세(accent)를 줘야 하는지 고민하고 단어 자체만으로 전달해보려고 노력해 보아야 합니다!

49. 어색하고 인위적으로 들릴 땐 그 대사를 대체

할 수 있는 자기 생각을 말해보며 (서브 텍스트) / 단! 인물의 의거한 생각으로 말해보며 뉘앙스나 단어 강조를 조절해야 합니다.

50. 반복적인 음절 나누기는 부자연스러운 화법을 만듭니다.

51. 대사 두 개가 같은 방식으로 강조되고 있다면 과감하게 화술을 바꿔봅니다.

52. 단어를 의미 없이 장음으로 길게 늘어뜨리고 있는지 체크해보세요

53. 상대방을 의식하지 않은 강조는 의미가 없습니다.

54. 상대방과 표정 호흡 (상대가 잘 듣고 있는지, 이해하는지 표정으로 언어를 전달) 하며 해봅니다.

55. 대사마다 내가 상대에게 어떤 의도 느낌 감정 목적 주려고 하는지 심플하게 설정 후 말해봅니다.

56. 맘에 안 들면 싹 다 갈아엎고 다시 해보는 게 리허설입니다.

57. 변화와 새로움을 두려워하지 마세요.

58. 평가를 위해 성을 쌓는 것이 아니라 더욱 높이 올라가기 위해 더 낮은 곳부터 시작해야 합니다.

59. 몸으로 표현할 수 없는 화술은 아직 이해하지 못한 화술입니다. 몸으로도 추상적으로 표현해 보세요.

60. 우아함에만 갇히면 일정한 패턴만 생깁니다.

61. 우아한 인물이 의미심장함, 부드러움, 비아냥, 유혹, 순수함 등으로 다양하게 말한다고 생각하고 각 대사에 입혀보세요.

62. 본인이 정말 표현하고 싶은 대로도 표현해 보세요!

63. 복식호흡 훈련으로 신뢰감 있고 매력적인 중저

음 보이스와 감성적이고 이성적인 매력을 오가는 즉 다양한 음색 변화무쌍한 화술을 만들어 줄 겁니다.

64. 단 지금보다 더 노력해야 합니다. 노력을 일상에서도 즐겨야 합니다. 절대 포기하지 마세요. 지금도 분명 나아지고 있고 차츰차츰 결국엔 좋아질 겁니다.

65. 허밍을 하며 소리로 내보내고 싶은 강한 충동을 느껴보세요. 소리로 공간을 가득 채우고 소리고 공간을 밀고 행동하고 싶은 충동을 또 느껴보세요.

66. 자기 말과 소리의 방향 도착 지점 소리의 질감 소리의 두께 깊이 힘 등을 몸으로 손으로 표현해 보며 소리 내보세요.

67. 소리가 좋아지고 있습니다. 생각이 깊은 여자의 모습이 연상됩니다. 이것은 품격이 높은 여자를 말합니다. 청아한 소리를 낼수록 주인공 역에 가까울 수 있겠죠

68. 더 웃으며 시작하려고 노력해 보면 어떨까요? 웃으며 말한다는 건 대화를 시도하고 '기회'를 상대에 주는 것입니다. 우리는 궁금할 수밖에 없게 만듭니다.

69. 더 의미심장하게 자신은 다 알고 있다는 듯 상대를 천천히 리드해봅니다.

70. 따지는 화법을 소중하게 써야 보는 사람의 몰입이 강해집니다.

71. 따질 때 말들을 더 세련되게 해보고 -> 더 딕션에 힘을 주어 또박또박 말해보고 -> 고통스럽게 쏟아보는 화법을 써보고 -> 불쌍하게 동정을 구해보며 지켜주고 싶은 여자의 매력을 만들어 보세요

72. 이 대사로 저런 여자를 놓치다니! 남자가 한심한 사람이 되게 만들어야 합니다.

73. 오히려 어울리지 않게 유혹을 해보려 하세요.

74. 더 불쌍하게 여리게 굴어보세요.

75. 미소를 이용하세요.

76. 여리고 천천히 간드러지게 말해보세요.

77. 하이라이트에 모든 감정을 쏟아보세요.

78. 하나의 목적을 갖고 다양한 전술을 구사해 보세요

79. 소리는 상대를 넘어 관객들까지 들릴 것을 고려해 말하면 공명이 이루어집니다.

80. 그만큼 소리의 도착 지점은 중요합니다.

81. 밝은 것도 어두운 것과 마찬가지로 자신이 있게 말해야 소리가 들립니다.

82. 조용히 말해야 하는 이유가 명확하지 않은 이상 읊조리는 형태는 사용하지 않는 데 좋습니다. 너무 연약하거나 지루해 보이기 때문이죠. 연약하게 걸 의도했다면 한 번만 소중하게 사용하는데 더 연약함을 강조할 수 있습니다.

83. 우리가 사람과 사람이 대화를 나누듯이 티키타카 리드미컬하게 말해야 활력이 생기고 그 리듬 안에서 우리는 의미를 집중해 찾고 싶어 하는 욕구가 생깁니다. 차분하건 갈등이 심하건 주고받음의 연속에서 즉 템포속에서 연기가 이루어져야 합니다. 결론은 재미가 없으면 집중이 어렵기 때문이죠.

84. 여성적으로 소리를 내려고 하는 건 좋아지고 있는 것 같습니다. 하지만 더 자신 있는 여성의 모습이 필요할 거 같습니다.

85. 칭찬하고 가르치고 이끌고 위로하고 비아냥거리고 경고하고 동정을 호소하고 유혹해 보세요.

86. 상대에게 중요한 갈등을 안고 해소하려는 즉 설득하고 싶은 욕구가 별로 안 느껴집니다.

87. 상대에게 강렬하게 집중하고 차분함과 긍정 부정으로 연기해 보세요. 기승전결 하이라이트 구성을 만들어 보세요

88. 중요단어 어미를 우아하게 다룰 것

89. 상대방을 위한 감정을 표정과 소리로 만들어 볼 것

90. 상대의 입장에서 객관적으로 바라보고 연기할 것

91. 우린 진짜 상황. 눈앞에 지금 승객에게 말하는 것이지 머릿속에 승객이 있는 것이 아님

92. 어울리는 제스쳐를 함께 연습해 볼 것

93. 다른 대사에도 적용해 볼 것

94. 발성적 에너지는 학생의 '의지'다.

95. 뉘앙스는 상황을 전달하는 '감각'이다.

96. 동시에 다양한 감각을 느끼며 그 다양한 감각을 여러 문장(대사)에 다양하게 녹이는 연습을 해야 한다.

97. 다양성은 반드시 '표정'으로 드러나게 되어있다.

98. 표정이 없는 자는 자신을 드러내기 싫어하는 자다.

99. 좋은 화술은 상대에게 '헌신'하는 마음을 바탕으로 한다.

100. 너무 하고 싶던 연기를 드디어 하게 되었으니, 지금과 같은 열정을, 초심을 늘 감사하게 기억하고 열심히 하면 좋을 것 같다.

101. 연출력을 갖고 있는 것 같으니 자세 태도 더 시도해 보면 좋을 듯

102. 행동에 대한 연출력을 소리에도 담으려고 연구할 것

103. 화술로 행동하라!

104. 신뢰감 있는 발성을 기본기를 훈련할 것

105. 크게 말하기 복식호흡 말하기 공명 중저음 저음 말하기 연습할 것

106. 미소 억양 승무원멘트 연습 열심히 할 것

107. 처음엔 다 긴장해서 빠르게 말하려고 하니 천천히 말하고 상대를 쳐다보고 말하는 연습할 것

108. '인물의 공간'에 대한 구체적인 인지, 설정, 의미, 흥미로움이 없다면 동선은 없다.

109. 귀신 걸음은 걸어야 할 이유가 명확하지 않아서. 실습실을 힘차게 걸어보는 연습 필요

110. 공명도 공간을 에워싸고 관객을 포획하려고 하는 '서라운드' 에너지가 없어서 기본기 연습 많이 해야함.

111. 하나의 인물을 구축하면 밝게도 어둡게도 더 자신이 생깁니다. 어떤 인물로서 연기할지 연습해보면서 고민하고 확신갖고 설정해야합니다.

112. 흠마흠마 할때 인물로 연기할때 인물을 바꿔라.

113. 콧소리 무조건 빼야한다.

114. 대사의 상황을 진지하게 받아들여라.

115. 유치원 선생님들의 구연동화정도로 끝낼것인가.

116. 충분히 몰입되기 전까지 말하지마라.

117. 대사를 음미하며 말해라!

: 와인을 음미하듯 천천히 확신이 생길 때까지 대사를 되뇌며 고민하며 말해라.

118. 미소 억양 승무원 멘트 훈련을 계속하면서 신뢰감 있는 안정감 있는 인물을 만들고 그 인물로 앞으로 연기해라!

119. 당일 대사 연기

: 당일 대사 상황 안으로 들어가고, 몰입하기 위해 '전 상황'이 중요합니다. 상대의 행동, 말 관찰 어떤 공간인지 뭘 하고 있을지를 인지해라.

120. 천천히, 대사에 휘둘리지 않게 무슨 일 (중요한 사건)이 벌어지는 게 좋다.

121. 인물이 부정적이거나 가벼우면 결말이 정해져 있는 거로 보인다.

122. 무대에서 그럴 수밖에 없는, 나를 움직이게끔 만드는 목표가 필요함

123. 상투적인 감정의 소리 따라가면 안 됨.

124. 내가 하고 싶은 의도 가지고 전달

125. 어디를 건드리고, 어떤 문장에 변화를 줄지 생각하기

126. 부드러움 계속 시도, 좋게 말하면서 슬픈, 부정적인 감정 전달해 보기

127. 남한테 어떻게 보일지 신경을 쓰지 않고 나 자신한테 집중해서 연습해 보기

128. 주인공이라면 이렇게 하겠구나 <<를 많이 생각해 보기

129. 어떻게 소리 내야 인상적이고 좋게 남을지 고민해 보기,

130. '성숙한 소리' 소리 길게 내는 연습 많이 하기 멀리 보내서 감싸 안는 소리

131. 어미 끊어서 자꾸 소리 잡지 말기. 호흡 섞어서 길게

132. 어미를 올리고 어미가 너무 단단함.

133. 자상하게 말하는 걸 많이 연습하기!

134. 삐져있는 식의 말투로 모든 연기를 하고 있음

135. 일상에서 생각하는 화법을 인물에게 적용

136. 말의 속도와 어디를 어떻게 강조하는지에 따라 달라짐

137. 대사를 단락으로 나눠서 부분적으로 연습 처음부터 결말이 보이는 연기는 하지 않는 게

138. 상대 반응 중요함 상대 반응에 따라 이성적으로, 감성적으로, 감정적으로 연기해야 함

139. 대사 분석 안 될 때 가장 인상 깊은 대사들을 나열해 보고 한마디씩 일상에 대입해 말해볼 것. 그러면 대사의 상황이 얼마나 심각한 상황인지 인물이 어느 정도 '감정의 깊이'인지 가늠할 수 있다.

140. 대사를 핵심 키워드 3개로 압축하고 상황/목표/가장 큰 감정을 파악해 볼 것

141. 그냥 '연기'라고 생각하면 마음대로 다 가능한 것들이 '실제'라고 생각하면 말보다 진짜 감정이 먼저 느껴진다.

142. 머리로 하지 말고 눈앞에 상대의 눈을 마주해 봐라. 어떤 느낌이 느껴지는가? 아직도 '실제'랑 '연기'를 구분하고 있는가?

143. 당일 대사 상황설정은?

: 자신에게 있어 중대한 순간으로 가정해야 '다양한 노력'을 할 수 있다.

144. 말을 더 똑바로 말을 더 신중하게 할 수 있는 상황으로 설정해야 합니다.

145. 상투적으로 대사를 표현하지 마세요 '사랑해' 라고 쓰여 있다고 기쁘게만 말하지 않는 것처럼 대사 안의 숨겨진 의미를 찾아보세요.

146. 대사를 다 같은 톤으로 말하고 있다는 건 하나의 생각 하나의 기분에 빠져있는 것입니다. 당신이 몸이 아파 무엇을 해도 기운이 없는 소리를 내는 것과 같습니다.

147. 우리가 시공간을 초월하기 위해선 전상황에 빠지는것밖에 없습니다.

148. 서브텍스트로 연기를 해보고 그 말들의 리듬 (뉘앙스)에 대사를 대입해서 말해봅니다!

149. 생각 없이 대사 뱉지 말자.

150. 열심히만 하는 연기는 타인에게 인정받고자 하는 연기일 뿐입니다.

151. 연기를 할 때도 숨을 쉬고 생각을 하고 진짜 느껴야 합니다. 그게 실제로 살아있는 연기를 하는 유일한 방법입니다. 언제 숨을 쉬나? 인간은 생각할 때 숨 쉬고 말하고 싶을 때 숨 쉬고 진짜 느낄 때 무언가 원할 때 숨 쉽니다. 연기할 때도 마찬가지입니다.

152. 언제 느끼냐? 인간은 원하는데 쉽게 이룰 수 없을 때 느낍니다. 이것이 감정입니다. 연기할 때도 마찬가지입니다.

153. 연기할 때 어떤 생각을 해야 하나 나의 입장 지금 나의 상태 나의 과거 나의 미래 너의 입장 지금 너의 상태 너의 과거 너의 미래 우리 입장 지금 우리 상태 우리 과거 우리 미래 우리가 함께 했던 그때 우리가 함께 있는 이곳 우리가 함께 할 그곳 (사물, 환경, 주변, 공간, 날씨, 공기, 조명, 햇빛 등 모든 것)

154. 이것도 인간이라면 모두 생각하며 하루하루 살아갑니다. 연기할 때도 마찬가지입니다.

한대사 한대사 이 모든 것들을 하며 연기해야 합니다. 한순간에 되지 않습니다. 아직은 그때가 아닙니다.

신을 감동시키면 아폴론 신이 영감을 주실 겁니다. 그때를 만들어봅시다. 할 수 있습니다.

역할이 그대들을 목이 타게 기다리고 있소. 대본 종이에서 일어나 그대들의 육체로 그대들의 정신으로 그대들의 말과 손과 발로 그대들의 뜨거운 심장으로 다시 태어날 날 만을... 파이팅!

155. 작품답지 않은 연기는 하지 마라.

156. 지루하지 않게, 따분하지 않게, 일상적인 말투 X

157. 자연스러운 건 연기가 아니다.

158. 연기는 말 그대로 연기다.

159. 연기는 다큐가 아니다.

160. 연기와 일상의 구분이 필요하다.

161. 그냥 말하는 형태론 경쟁력이 없다.

162. 말에 생각이라는 게 있어야 한다.

163. 말을 편하게 하라는 것이 아니다.

164. 말을 잘하거나 편하게 하려면 엄청난 이유를 가져야 한다.

165. 캐릭터를 잡는 거보단 대사 분석이 굉장히 중요하다.

166. 상황을 정확하게 분석해야 한다.

167. 모든 대사에 이유와 나만의 분석이 필요하다.

168. 일상에선 다를지 몰라도 대사에서는 드라마를 만들어야 한다.

169. "내가 상대방에게 뭘 원하나" 로부터 연기가 시작이 된다.

170. 이 말을 하는 상황이 엄청난 상황이어야 한다. 극적으로 해야 한다.

171. 분석 안하고 결론부터 내리면 안 된다.

172. 연기를 가르친다는 건 사람을 바꾸는 것과 같다. '매력적인 사람'으로 만드는 것. 그래서 연기를 가르치는 것이 어려운 일이다. 연기 선생님들이 이 과정에서 나는 이 정도 밖에 안되는 선생인가 답답할 때가 오는 것도 이 이유일 것이다.

173. 매력을 모르는 선생은 연기를 가르칠지언정 매력을 그리고 '매력적인 연기'를 가르칠 수 없다. 단순히 '연기의 원리'를 알려주는 것은 오히려 간단한 일일지 모른다.

174. 매력이 없다는 건 다시 말하자면 '연기를 잘 못한다는 것'이 된다. 또 다시 설명하자면 매력적인 인간이 연기를 잘하는 사람이 된다. 그러므로 선생은 '매력'을 만들어주는 부분부터 스트레스를 받기 시작한다. 왜? 잘 안 바뀌기 때문이다. 매력은 대사분석과 관련이 없다.

175. 스스로 어떤 사람인지부터자기 검열을 할 수 있어야 한다. 키워드로 '나'라는 사람의 이미지를 정의 내릴 수 있어야 한다. 그래야 빠르게 객관화시킬 수 있다. 그리고 반드시 개선해야 한다.

176. 부처 눈엔 부처가 보이고 돼지 눈엔 돼지만 보인다는 말. 대사를 말하기 이전에 누가 그 대사를 뱉냐에 따라 연기를 보고 싶을 수도 보고 싶지 않을 수도 있다는 말이다. 매력을 가르친다는 것은 이런 것이다.

177. 저 사람이 순간의 '소중함'을 어루만지듯 말만 좀 천천히 해도 인기 많을 텐데, 저 사람이 심장 중심으로 안정감 있게 목소리 톤만 좀 낮게 내주면 '인기' 많을 텐데, 저 사람이 성숙하게 어미만 살포시 내려도 인기 많을 텐데, 저 사람이 호소력 짙은 눈빛으로 모성애를 자극하면 참 인기 많을 텐데, 결국 대사가 아니라 사람 즉 나 자신과 타인을 대하는 태도, 이 세상 (자연) 그리고 사물(공간, 물질)을 대하는 태도가 어떤가가 먼저 중요하다.

178. 그 사람은 이런 사람이야. ex:) OO 한 사람이야. 그다음 대사를 말하기 시작하자. 본격적인 연기에 앞서 먼저 '매력적인 사람'이 되자. 당신은 '매력적인 사람'인가?

179. 우리는 대사를 말해야 한다. 우리는 말이 갖고 있는 의미를 잊고 산다. 우리는 말이 갖고 있는 힘을 잊고 산다. 우리는 말로 기분도 감정도 인생도 변화시킨다. 우리는 말할 수 있는 능력을 마치 당연하게 주어진 능력이라고 착각하며 산다.

180. 대사를 분석하는 것은 머리로 수없이 굴리지만 가슴으로 느낄만한 이유가 없으면 행동할 이유가 없다. 지금 의자에 앉아 있다면 일어나기를 시험해 보라. 그래서 느낌이 중요하다. 느낌을 모르면 대사의 이유를 눈물이 날때까지 머리를 굴려 찾아라. 눈물은 인간의 진실된 마음에서 떨어지는 가장 값진 보석이다. 스스로를 감동시킬 분석을 찾으면 보석 같은 연기를 하게 된다. 아무리 부스려해도 깨지지 않는 다이아. 그것은 나만의 진실이다.

인고의 시간에서 탄생 된 나의 말. 나의 대사. 내꺼 Only one

181. 감정에 집착하게 될 경우 이전에 연기할때 느꼈던 한 가지 감정(인상)만 불러일으키려고 노력하게 되어 특정 생각과 분위기에 빠진 채 대사를 의미 없이 뱉게 됩니다. ex) 헤어진 사람을 생각하며 책을 읽는것과 같습니다. 연기에서 감정이 중요하다는 말은 말의 목적을 명확하게 할 시 감정(욕구)을 갖게 되는데 배우가 감정을 진실되게 느끼면 말에 확신이 생깁니다. 예를 들면 불이 났을 때 "불이야!" 라고 말하는 것과 같습니다. 감정(목적의 필요성)을 확실히 느끼면 확실한 말(감정)이 생기게 됩니다.

182. 감정은 포괄적입니다. 우리가 착각하는 이유는 감정이라는 말을 화 슬픔 특정 감정만으로 이해하기 때문입니다. 말의 확신은 상황을 극복하려는 인물의 의지를 통한 다양한 감정(인물의 노력)을 동반하게 됩니다.

183. 폼 (form)이란? 폼나는 배우가 되어야 합니다. 폼이란? 사람이 어떤 동작을 할 때에 취하는 몸의 형태. 겉으로 드러내는 멋이나 형태를 말합니다. '멋'있어야 신뢰가 가겠죠? 멋은 없는데 연기 잘하는 사람은 많습니다. 입시는 매력적인 사람을 뽑습니다. 배우오디션도 마찬가지죠. 연기는 당연히 잘해야 겠죠.

184. 말은 하는데 절대적으로 무엇을 말하는가? 그래서 뭐? 뭘 말 하고 싶은데? 연기선생님들이 지겹도록 학생에게 물어보는 말 이기도 합니다! 무엇을 강조 하고 싶은가? 그래야 말이 잘들린다. 연기학원 다니면 말 자연스럽게 하는 친구들은 많습니다. 귀에 쏙쏙 말들이 안들어와서 문제죠. 보는 사람이 말하는 배우의 이미지를 생생하게 떠올리는것. 그 이상으로 감흥을 느낄수있게 말을 잘해줘야 합니다.

배우의 말을 듣는것만으로 시각적으로 눈앞에 그 생생함이 느껴지게 해준다면 공감과 감동을 주는 배우겠죠?

185. 대사를 내맘대로 가지고 놀수있는것? 대사에 길들여 지지 않고 대사의 구속에서 벗어나 생각을 자유롭게 하며 그 생각과 감정의 포인트를 대사와 연결하여 말하게 되는 상태. 그것이 인간의 말의 형태. 그렇기 때문에 대사를 갖고 놀정도로 대사에 대한 억압과 두려움 불편함이 없어야 합니다.

186. 목표는 반드시 간절하게 원하는것. 지금 말하고 싶게 행동하고 싶게 만드는것이어야합니다. 다 필요없습니다. 당신이 흥미롭고 미쳐서 할수있게 만드는 것이 필요합니다. 아무일도 하지 않으면 아무일도 일어나지 않습니다. 당신이 그냥 하는데 교수님이 감동을 느낄리 없죠.

187. 관객은 당신과 호흡하길 원합니다. 당신이 감동을 느끼면 교수님도 감동을 느낍니다.

188. 알렉산더 테크닉은 이완이 전부가 아닙니다. 알렉산더 테크닉은 우리의 잘못된 자세를 스스로 인지 감지, 자감, 자각 하기 위해 합니다.

189. 집에 들어가서 무의식적으로 전등의 스위치를 키듯 부지불식간에 변화하는 자신의 상태를 의식할 수 있는 자기점검능력을 갖게 하기 위해 알렉산더 테크닉과 같은 이완훈련을 진행합니다. 또한 신체와 의식은 상호의존적 형태로 하나입니다. 신체상태에서 의식 (감각+감정) 할 수 있습니다.

189. 대사를 천천히 생각하면서 말하기 '삶의 한순간'도 그다음을 생각하지 않고는 살 수 없다. 그래서 '여유'가 없다. 천천히 말하기는 너무도 어려운 것이 되어버렸다. 그들은 '느림'은 '나태한 것'이다. 하나로 '의미'를 정의하고 살아간다. 아니, '천천히 말하기'는 연기를 시작한 지 얼마 안 되는 학생들에겐 모두 '두려운 것'이 되어버렸다.

천천히 말하면서 생기는 '간극'의 '단 몇 초'도 견디지 못한다. 그 간극이 주는 '적막' '사일런스'가 주는 '예측불가한 자극'... 그것은 '서스펜스' 그 '소름

돋는 적막'은 내게 필요한 소중한 '고요함'일까 의지할 데 없이 쓸쓸한 '외로움'일까 '적막' 과 '천천히' 보다 '강렬'한 건 없다. 스르륵... 천천히 말하는데 매력적이면 연기는 이미 반은 성공 한 것

190. 연기보다 중요한 건 어떤 사람이 연기하느냐 입니다.

191. 연극영화과 입시에서 가장 중요한 것은? 학생의 매력입니다. 연기의 내공은 연기학원을 다니는 학생들이라면?

어떤 학생이든 다 쌓이기 마련입니다 발성에 활력이 있는 학생 (무대 연기가 가능한 학생으로 관객들에게 잘 전달되는 학생) 미소가 잘 어울리는 학생 (모든 변화의 시작은 긍정, 행복에서 시작됩니다.)

여유 있게 걷고 서는 게 되는 학생 (온전히 자신의 상황과 공간에 빠져있다면 당연히 자연스러울 수밖에 없습니다.) 상대를 보며 교감하며 말하기가 되는 학생 (독백연기의 경우 보이지 않는 상대와 실제로 주고받기가 가능해야 합니다.) 쉬운 것 같지만 가장

어려운 부분입니다.

192. 대사는? 생각을 반영하고 거기에는 다양한 행동이 수반된다.

193. 행동에는 자세 태도 제스처 표정 눈 깜빡임 호흡의 속도와 길이 등이 들어가고 음성에는 크기 빠르기 높낮이 굵기등이 들어간다. 같은 대사들도 이러한 행동과 음성에 따라 연기는 달라진다.

194. 화술로 비언어를 표현하려고 노력해라. 즉 화술로 행동하라. 그럼 화술은 발전할수밖에 없다.

195. 연기에 변화가 없다면 대사에 지문을 넣어 보라고 권유한다. 이것은 또다시 화술로 행동하는것과 같다. 지문에는 감정의 변화,속마음,신체변화,뉘앙스,행동,대사의 느낌등이 들어간다. 이것은 서브텍스트 연기법과 같다.

196. 대사의 시작은? : 사회적 동물로 시작한다. 사회적 관계를 유지하기 위해 상대와 내가 유지해야 하는 '기류 : 온도, 공기의 흐름'이라는 것이 있다.

독자의 입장으로 읽을 때는 이 기류를 무시하고 관

계를 무시한 체 연기하는 것이 태반인데 실제로 상대를 믿게 되면 무시하기가 어렵고 상대방에 대한 정보를 떠올리게 되어 그 상대방을 대하는 자세 즉 표정이 나오기 마련이다.

대사(작품) 속 인물들은 나와 밀접한 관계를 갖고 있기 때문이다.

197. 묻고싶다 "당신은 처음 보는 사람의 말을 신뢰하는가?"

나를 처음 보는 교수님에게 신뢰감,안정감 을 주기 위해 친밀감 을 먼저 형성하는 것이 효과적이다.

라포르 : 독백연기 에서는 '라포르' (두 사람 사이의 상호 신뢰관계 형성, '마음이 통한 다라'는 rapport) 형성이 중요하다고 생각한다.

내가 연기하는 상대와 내 연기를 평가할 교수님들하고의 신뢰감, 친밀감을 쌓기 위해 대사는 '긍정적 화법'이 중요하다.

우리는 감정적 동물이면서 사회적 동물이다.

198. 화술은 대화이다.

매력적인 대화는 논증적인 말하기가 아니라 서술적인 말하기의 비중이 높아야 한다. 내가 대사의 감정에 휩쓸리는 것이 아니라 상대방이 내 감정에 관여하게 만들어야 역동적인 연기를 할 수 있다.

감정적 신체적 동시성을 주는 연기를 해야 시공간을 이동시킬 수 있다.

대화에서는 상대방과의 감정적, 감정이입적, 신체적 동시성의 정도를 가능한 한 높이인 것이 중요하다.

그래야 심도 있는 대화를 할 수 있다.

199. 인물이 먼저 있고 그다음 대사(상황)가 있다. 매력적인 인물이 상황(대사)을 만나야 기대감이 생긴다는 이해를 먼저 가져야 한다. 한마디로 기억하자 "돼지 눈엔 돼지가 보이고 부처눈엔 부처가 보인다!" "너 자신으로서 자연스럽게 연기하면 망할뿐이다 - 존웨인"

200. 왜 당일대사와 자유연기에서 '긍정적으로 시작하라!' 를 강조하는가?

희곡의 첫 장면은 늘 균형상태 (stasis 평형상태, 일정한 수준을 유지하고 있는 상태)에서 시작한다. 서스펜스 가 일어나는것을 예측하기 어렵게... 상대 방을 내가 떠올리고 전달하고자 하는 상황 즉 이미지 image (머리에 떠오르는 인상, 마음속에 재생된 현상으로 받은 느낌 심상 , 상상 imagination) 즉 상대 또는 관객을 데려가고자 하는 시공간 Space time 시간+공간으로 데려가기 위해선 상대방에게 맞춰서 긍정적으로 대화를 시작해야 한다.

201. 연기할때 말하는 '이미지'란?

이미지 image 우리의 subtext 와 우리의 영감 생각 창조 창의 개성 예술 6하원칙 몰입은 <u>이미지의 영향을 받는다.</u> 대사는 작가가 이미지로 비유하기 때문에 작품이다. 작가가 비유 하는 이미지는? 이미지로 -> 비유한다 우리 배우들은 비유되어 있는 대사를 다시 -> 이미지 imagination 해야 한다. 우리가 알지 못하는것을 쉽게 알게 해준다. 쉽게 설명할수 없는것을 쉽게 설명할수있게 만든다. (머리에 떠오르는 인상, 마음속에 재생된 현상으로 받은 느낌 심상, 상상 imagination) 우리가 이미 알고 있는 어떤것 (과거 기억 잠재의식) 들을 이용한다. 사람마다 이미지를 다르게 해석하기 때문에 예술작품에 대한 각자의 반응이 색다르게 나타나는것은 자연스럽다. 이미지는 스토리를 압축 (비유, 메타포) 하여 많은 정보를 역할의 대사로 제공한다. 시공간 여행 space time 을 떠날수 있는 이유는 이런 비유 즉 이미지의기능 때문이다.

202. "내가 소리를 어떻게 내면 날 인상깊게 봐줄까?" 고민하고 연구해라.

203. 연극 뮤지컬에 등장하는 여자 배우의 소리와 화술이 어떤가?

204. 성숙함과 우아함을 소리로 낼수 있는가?

205.말할 때 감정과 감각을 넣어야 한다.

206.어미를 계속 올리면 안된다.

207.어미의 끝을 잡거나 끌면 안된다.

208. 대사는? 첫문장 첫 번째 줄 마지막 문장만 봐도 중간을 유추 할수 있다

209. 대사의 제목을 보고 제목이 무슨 의미인지 생각해보자 마임드 맵처럼

210. 대사의 구간을 나누고 순서를 정하는 것이 중요하다

211. ex) 구간이 14개 라면 작가가 표현하고자 하는 부분도 14곳이다.

212. 서브텍스트 연기?" 대사와 비슷한 느낌의 말을 일상에서 해본다.

213. 일상에서 하는 말을 대사, 인물에서 적용하기

214. 내경험을 가지고 대사, 인물에게 대입해서 그 뉘앙스(말투)를 가져온다

215. 속도,강조에 따라서 느낌이 달라진다.

216. 화를 내지 않고 내 의견을 정확하게 전달한다.

217. 누가 들어도 잘 들을수 있게 말하는게 중요하다

218. 상대 반응을 살펴봐라

219. 처음부터 상대를 적대시 하거나 차단시키고 회피하면 안된다.

220. 목표가 있으면 감정도 생긴다.

221. 목표를 분명하게 정하고 목표가 부정적이라도 희망을 가져라

222. 내가 이렇게 행동해야 하는 확실한 이유를 만들어라

223. 기승전결을 분명하게 구성하고 하이라이트를 만들어라.

224. 대사를 보고 생각나는것들을 다 경험해봐라

225. 주인공 연기를 해라

226. 마임이 많이 들어가 있을 때 마임보단 생각에

포커스를 맞추자

227. 관객들이 생각할수 있는 시간을 줘라.

228. 집중과 몰입은 과거로부터 나온다.

229. 분위기를 파악하고 상대를 관찰하고 장소를 파악하고 장소에 있는 사람이나 사물 인테리어를 보고 나는 연기서 뭘하고 있는지를 판단하고 연기해라

230. 대사 단어랑은 상관없이 의미만으로 화술을 표현할수 있다.

231. 강렬한 인상을 심어주는 것은 '화내는 것'이다가 아니다.

232. 부드러움

233. 좋게 얘기하면서 감동전달

234. 좋게 얘기하면서 부정적인 면 전달

235. 포즈 (본인의 연기에 빠져있는 시간 가져라)

236. 긍정적으로 선하고 정의롭고 아름답고 진중하게 진지하게 화가 나도 좋게말해보기

237. "음색 뉘앙스 자유롭게 바꿀수 있는가?"

238. 내가 '왜?'를 가지고 있는 것 보다 관객이 '왜'를 가지고 있는 것이 중요하다

239. 강조를 해서 관객이 '왜?'라는 질문을 던질수 있게 해야 한다.

240. 대사의 시작은?

: 사회적 동물로 시작한다. 사회적 관계를 유지하기 위해 상대와 내가 유지해야 하는 '기류 : 온도, 공기의 흐름'이라는 것이 있다.

독자의 입장으로 읽을 때는 이 기류를 무시하고 관계를 무시한 체 연기하는 것이 태반인데 실제로 상대를 믿게 되면 무시하기가 어렵고 상대방에 대한 정보를 떠올리게 되어 그 상대방을 대하는 자세 즉 표정이 나오기 마련이다.

대사(작품) 속 인물들은 나와 밀접한 관계를 갖고 있기 때문이다.

241. 첫시작을 긍정적으로 해야 하는 이유의 중요성?

라포르

: 독백연기 에서는 '라포르' (두 사람 사이의 상호 신뢰관계 형성, '마음이 통한 다라'는 rapport) 형성이 중요하다고 생각한다. 내가 연기하는 상대와 내 연기를 평가할 교수님들하고의 신뢰감, 친밀감을 쌓기 위해 대사는 '긍정적 화법'이 중요하다. 우리는 감정적 동물이면서 사회적 동물이다.

242. 발성과 화술이 필요한 사람들

발성과 화술이 절실하게 필요한 분들은 연기수업을 추천드립니다.
발음 부정확
웅얼거림
작고 자신감 없는 목소리
어린아이 같은 목소리
말이 빨라서 한 번 더 물어보는 경우
그냥 말하는데 남들은 화났냐고 물어보는 경우
조금만 말해도 금방 목이 쉬고 아픈 경우
특정 발음이 안 돼서 자신감이 떨어지는 경우
말이 속도가 너무 느려 사람들이 지루해하는 경우
말을 할 때 숨이 자주 차고 말끝을 흐린다
사람들이 내 말을 잘 알아듣지 못한다.
특정 발음이 어렵다
콧소리가 심해 앵앵거린다는 소리를 들어봤다.
긴장하면 목소리가 심하게 떨리거나 더듬는다.
목소리 톤이 너무 높아서 가벼운 느낌은 준다.
크고 힘있는 목소리는 자신감이다

243. 띄어 읽기는?

: 문장을 띄어읽는 다는 건 호흡이 멈춘다는 것이고 호흡이 멈춘 문장 사이의 '틈'이 위협적으로 다가온다. 그 위협이 긴장감을 주며 다음 말이 기대가 된다.

244. 강호쌤이 말하는 '블로킹' 은 왜 사용하는가?

: 대사의 생각의 흐름,즉 심리의 흐름 전달을 위해 그 흐름의 방향을 걸음로 따라간다.

정면응시,중앙 즉 센터와 상반되어야 우리는 이야기를 각각의 이야기들(중심 세부사건,시간의 흐름)로 나눠 (블록을 나누는 이유) 구분하여 감상할 수 있다.

상대방을 안보고 말해야 관객이 감상하기 좋으며 상대를 정면응시하고 말할때 말의 중요도를 더 높이기 위해 블로킹으로 이야기를 세분화시키며 블로킹하며 떠올리고 느껴보는 시간을 충분히 갖는다.

245. '상대의 눈을 똑바로 쳐다보고 말하지 못하는 이유'

: 다시 말하지만 상대를 정면응시한다는 것은 강력한 위협으로 정말 중요하다! 라고 말하는것과 같다. 우리는 상대의 눈을 똑바로 쳐다보고 말하지 못하는 이유가 분명히 있다. 그것은 상대방에게 위협적이기 때문이며 감정을 동반하며 우리의 기억의 상황에 빠져있는 시간이 더 많이 때문이다. 그렇기 때문에 오히려 상대방의 두눈을 마주하고 말하기 보다 다른 공간을 쳐다보며 말하는것이 보는이에게는 말하는이의 시공간을 떠올리기 (감상하기) 편하다.

246. 매력적인 화술,매력적인 연기를 하는법에 대한 기본이해

매력이란?

: 국어사전 [명사] 사람의 마음을 사로잡아 끄는 힘.

다양성이란?

: 국어사전 [명사] 모양, 빛깔, 형태, 양식 따위가 여러 가지로 많은 특성

247. 매력적인 배우는?
매력적인 화술로
매력적인 연기를 한다.

248. 말은?

말이 곧 대사이며
말이 곧 생각이며
말이 곧 감정이며
말이 곧 인성이며
말이 곧 태도이며
말이 곧 행동이며
말이 곧 사람이기 때문이다.

249. 안정감 있는 화술을 구사해라!

상대에게 효과적으로 말하기 위해 '화술'을 전략적으로 활용한다. 상대에게 말로 생생하게 전달하기 위해 '화술'을 전략적으로 활용한다. 연기를 보는

사람에게 '안정감'을 주면 그때부터 연기를 감상하게 되고 감상하게 되면 '공감'과 감정'을 느끼게 되는데 그 순간이 바로 배우가 관객을 자신의 '시공간'으로 끌어와 함께 경험하며 호흡하게 되는 것이다.

250. 라포르 친밀감 형성과 몰입

라포르 : 친밀감 형성
라포르는 전상황을 함께 경험하며 시작된다.
몰입이란 과거의 기억과 현재가 융합되는 것이다.

251. 포즈 (pause)

이렇게 잠시 동안의 호흡 멈춤,

즉 포즈 : 휴지 (pause)는 우리에게 중요한 순간을 제공한다.

결국 띄어 읽는다는 건? 포즈 (pause)로 강조를 만들어준다.

간극은 정성껏, 신중하게 말하는 느낌을 준다.

간극 즉 띄워 읽기가 없는 문장 말하기는 듣는 사람

을 고려하지 않는 말 하기로 '가벼움'을 준다.

관객이 해석하는 시간을 배우는 띄워 읽기와 포즈 (pause)로 조절한다.

251. 상대를 위하는 마음, 상대를 위하는 마음이 진심일수록 효과적인 화술 전술은 무궁무진해진다.

모든 전술은 '긍정'에서 생겨남을 명심해라.

252. 부정적인 전술 (tactic) 또한 상대를 위하는 마음이 진심일 경우에만 효과적이다.

다시 한번 말하지만 상대를 배려하는 마음이 없다면 '화술'로 상대방의 마음을 움직일 수 없다.

상대방을 위하는 마음을 갖고 상대방의 반응을 주시하며 정성껏, 적극적인 형태를 기본 베이스로 갖추고 다양한 말하기 전략을 시도해야 한다.

253. 화술은?

1. 편안함
2. 단어 강조

위협 -> 변화 -> 새로움 -> 흥미

'화술'은 연기(acting)다.
'화술'로 행동 (acting) 해라.

상대를 나에게 집중시키고
관객의 시공간을 초월하기 위해 화술로 대사를 강조
하는 요소들과 방법에 대해 연구하고 적용한다.
말의 크기 / 세기, 강세, 포스, 에너지
말의 음색 / 고저, 높이
말의 방향 / 뉘앙스 / 위, 앞, 밑
말의 속도 / 느리게, 빠르게 / 완급 (느림과 빠름)
말의 무게 / 깊이 / 압력,수축
말의 멈춤 / 포즈 / 일시정지
말의 길이 / 장음,단음

254. 택틱 = 전술

다양한 행동동사로 각 대사의 목표를 이루려고 노력하라.

255. 서스펜스란 무엇인가?

#불안감 #긴박감

영화, 드라마, 소설 따위에서, 줄거리의 전개가 관객이나 독자에게 주는 불안감과 긴박감.

그 영화는 해변을 무대로 쫓고 쫓기는 숨 막히는 액션과 서스펜스가 압권이다.

256. 카타르시스란 무엇인가?

비극을 봄으로써 마음에 쌓여 있던 우울함, 불안감, 긴장감 따위가 해소되고 마음이 정화되는 일. 아리스토텔레스가 ≪시학(詩學)≫에서 비극이 관객에 미치는 중요 작용의 하나로 든 것이다.

정신 분석에서, 마음속에 억압된 감정의 응어리를 언어나 행동을 통하여 외부에 표출함으로써 정신의 안정을 찾는 일. 심리 요법에 많이 이용한다.

257. 구성

구성'없이는 '변화'가 없다.
나눌수 없다면 '틈'은 없고
멈출수 없다면 기차는 계속 지나갈뿐이다.

어렵고 복잡한 여러마디의 대사들을 쉬운 한마디로
압축하고 다시 쉬운 그 한마디를 나만의 상황으로
구체적으로 그려볼것.

이것이 #자기화 自己化

어떤 지식이나 의견 따위가 받아들여져 자신의 것으
로 만들어짐. 또는 그렇게 만듦.

258. 부처눈엔 부처가 보이고 돼지 눈엔 돼지만 보인다

대사를 연기하기전에!

'매력적인 인물'된 다음 -> 대사를 만나라! (연기하
라!)

매력적인 인물이 -> 대사가 쓰여진 종이(상황을)를
잡고 연기하게 된다.

매력적인 인물은 매력적인 화술 즉
매력적인 연기를 탄생시킨다!

결국 모든 화술은
어떤 '인물'이냐가 가장 중요하다.

그 인물이 #뉘앙스 즉
'화술'을 만들어 내기 때문이다.

259. 매력적인 인물의 특성

#부드러움
#귀여움
#긍정적인
#밝은
#청순
#유쾌한
#신념

#신사
#청순
#친절
#여성스러운
#섹시한
#남자다움
#품격

260. 비호감 인물의 특성

비호감 인물로 대사를 만나지 마라!
(비호감 인물로 연기하지말 것)

비호감적인 인물은 결국 비호감적인 화술 즉 비호감 연기를 탄생시킨다!
당일대사 자유연기 당일대사연기 연영과입시합격
대부분의 #연극영화과지망생 은 연기 시작할때부터 #비호감 으로 시작한다.

그 이유는 대사의 결론을 알고 상대가 나쁘고 나는 불쌍하다고만 생각하기 때문

#회피
#차가움

#차만
#짜증
#우울
#체념한
#무심한
#가벼운

261. '화술'이 훈련이 필요한 이유

대사를 내생각으로 입력하고
대사 + 내생각이 입력되었다면
내 화술로 출력할 것

그것이 프린터
생각은 입력되었는데
마땅한 화술이 들리지 않는다면
그것은 프린터가 고장난 것.

그래서 화술이 필요하다.

262. 내 생각은 서브텍스트 즉 말이다. 서브텍스트 연기법!

: 말 '뉘앙스'를 만들어라! 우리는 글이 아니라

말로 만드는 직업。 바로 글을 내 생각 즉 말로 내뱉고 글을 말의 뉘앙스로 바꾸는 과정을 겪는다.

263. 연기는 결론이 아니라 '과정'.

: 결론 내리지 말고 기대감에 넘쳐 연기를 해야한다. 대사를 숲으로 보지말고 나무 한그루 한그루 한 문장 한문장으로 볼 것.
결론에 도달한 독자의 마음으로 대사를 보지 말고 미래예측이 어려운 시청자의 입장을 고려하며 연기해라.

264. 연기에서 긍정적인 '화술'이 중요한 이유

관객에게 생생하게 전달하되 감정과 판단은 관객이 할수있는 여지를 주기위함。 나의 매력적인 화술로 나의 다음 대사 즉 말을 기대하게 만든다.

265. 대사마다의 목표는?

상대방에게 효과적인 화술을 구사하기 위해
반드시 필요하다.

266. 강호쌤이 매력적인 연기를 만들기 위해 대사

에 적용하길 바라는 목표

: 우리는 상대에게 말할때마다 아래와 같은 목표를 갖고 말하게 되어있다. 생각은 욕구에서 생겨나며 욕구는 목표이다.

연기할때 목표

당신이 나를 사랑하게 만드는것
당신에게 빼앗긴 나의 힘을 다시 찾아오는것
당신이 나에게 희망을 주게 만드는것
당신이 나를 추앙하게 만드는것
당신이 맞고 내가 틀리다는것을 인정하게 만드는것

267. 강호쌤이 말하는 '무대연기와 카메라연기의 차이'

: 무대에서 말하기와 카메라앞에서 말하기는 다르다! 그 이유는? '화술의 중요성'에 있다. '화술'에 얼만큼 비중이 큰가?

관객과 먼거리 무대연기 -> 자세,태도,행동(큰 제스처),블로킹(큰 걸음으로 이동) ,음성,화술에 비중 커

관객과 가까운거리 매체연기 -> 비언어,표정,비즈 니스(활동,작은 움직임,시선(눈빛) 비중 커

268. 강호쌤이 말하는 배우의 '공명','서라운드'란?

내 소리로 둘러싸고 에워싸고 공간과 관객을 포위한 다. 즉 서라운드 surround 이다. 소리로 '서라운 드' 해라! 공간을 인지하고 도달하고자 하는 곳의 사방 (위 아래 양옆)의 면을 소리로 동시에 전체적 으로 전달하고자 할때 생긴다.

배우가 목표한 #공간 (도착점)의 일정한 에너지(호 흡)의 충돌(진동)으로 생기는 울림(소리)

269. 강호쌤이 설명하는 '간극' 이란?

결국 포즈 (pause)

간극은? 시간 사이의 틈 두 대사(말, 사건, 생각, 현상) 사이의 틈. 말하는 이 즉 배우가 쉼, 포즈 (잠시 멈추다, 휴지, pause)를 통해 화술을 강조 한다. 강조하기 위에 호흡이 멈추고 그 틈이 생기면 배우는 생각에 잠기고 다음 말을 강조하기 위한 생 각에 빠진다. 보는 이는 이 갈라진 '틈'의 위협을

느끼고 더욱 집중하게 된다. 보는 이는 간극을 메우기 위해 배우의 간극(포즈의 이유)을 해석한다.

270. 강호쌤이 연기할때 말하는 '이미지'란?

이미지 image

우리의 subtext 와 우리의 영감 생각 창조 창의 개성 예술 육하원칙 몰입은 이미지의 영향을 받는다. 대사는 작가가 이미지로 비유하기 때문에 작품이다. 작가가 비유하는 이미지는? 이미지로 -> 비유한다. 우리 배우들은 비유되어 있는 대사를 다시 -> 이미지 imagination 해야 한다. 이미지는 우리가 알지 못하는 것을 쉽게 알게 해준다. 쉽게 설명할 수 없는 것을 쉽게 설명할 수가 있게 만든다. (머리에 떠오르는 인상, 마음속에 재생된 현상으로 받은 느낌 심상, 상상 imagination) 우리가 이미 알고 있는 어떤 것 (과거 기억 잠재의식) 들을 이용한다. 사람마다 이미지를 다르게 해석하기 때문에 예술작품에 대한 각자의 반응이 색다르게 나타나는 것은 자연스럽다. 이미지는 스토리를 압축 (비유, 메타포) 하여 많은 정보를 역할의 대사로 제공한다. 시공간 여행 space time을 떠날 수 있는 이유는 이런 비유 즉 이미지의 기능 때문이다.

271. 강호쌤은 왜 당일 대사와 자유연기에서 '긍정적으로 시작하라!'를 강조하는가?

희곡의 첫 장면은 늘 균형상태(stasis 평형상태, 일정한 수준을 유지하고 있는 상태)에서 시작한다. 서스펜스가 일어나는 것을 예측하기 어렵게.
상대방을 내가 떠올리고 전달하고자 하는 상황 즉 이미지 image (머리에 떠오르는 인상, 마음속에 재생된 현상으로 받은 느낌 심상, 상상 imagination) 즉 상대 또는 관객을 데려가고자 하는 시공간 Space time 시간+공간으로 데려가기 위해선 상대방에게 맞춰서 긍정적으로 대화를 시작해야 한다.

묻고 싶다. "당신은 처음 보는 사람의 말을 신뢰하는가?" 나를 처음 보는 교수님에게 신뢰감, 안정감을 주기 위해 친밀감을 먼저 형성하는 것이 효과적이다.

272. 곡선 말하기가 가능한가?

곡선 말하기의 특성

: 고음 곡선 말하기, 저음 곡선 말하기, 포물선, 장

음, 느리게 말하기, 공명, 발성 거리감, 멀리 말하기, 부드럽게 말하기, 친절하게 말하기, 매혹적으로 말하기, 순수하게 말하기, 설레게 말하기, 밝음, 동정을 이끌며 말하기, 수줍게 말하기, 인자하게 말하기, 어루만지며 말하기, 달래며 말하기, 끌어당기며 말하기, 곡선 빌드업 빌드업 말하기

273. 직선 말하기가 가능한가?

직선 말하기의 특성

: 고음 직선 말하기, 저음 직선 말하기, 단음, 빠르게 말하기, 낙하, 발사, 쏘기, 넘어뜨리기, 충격을 가하기, 폭발, 스타카토, 결단 있게 말하기, 확신 있게 말하기, 냉정하게 말하기, 따져 말하기, 호소하며 말하기, 어둠, 발음에 압력을 가하며 말하기(배짜기), 딱딱하게 말하기, 관통하며 말하기, 직선 빌드업 빌드업 말하기